Ta książka należy do:

PROMYKI SŁOŃCA O PORANKU
ROZTOPIŁY WSZYSTKIE SOPLE NA GANKU.
ZASPANE JESZCZE KROKUSY
ROZŁOŻYŁY BARWNE OBRUSY.
PRZEBIŚNIEGI WESOŁE
BUDZIŁY SIĘ NA WIOSENNĄ SZKOŁĘ.
W OGRÓDKU RUCH
ZACZYNAŁ SIĘ POWOLNIE,
MARCELEK WYJRZAŁ PRZEZ OKNO
I ZDZIWIŁ SIĘ OGROMNIE:

– Czyżby wiosna zawitała?
Resztki zimy zamiatała?
Jeszcze wczoraj ziemia biała,
Dziś już w kwiatach będzie cała?

Chłopczyk bardzo się ucieszył
I z nowiną do taty pospieszył:

– Tato, wiosna przybyła! Wszystkie sople roztopiła!
Nie ma już żadnego sopla! Nie została nawet kropla!
– Mój syneczku, tak jest co roku.
Wielkanoc też dotrzymuje wiośnie kroku.
– To Wielkanoc już obchodzimy?
– Tak, Marcelku. Dziś jedziemy w odwiedziny.
Razem z Wiktorią te święta spędzimy.
– Tato, tak bardzo się cieszę!
Swoją kuzynkę widziałem dawno, bo w jesień!
Spakować jeszcze muszę parę kapciuszków
I kilka ciuszków.

Tata podszedł do synka i potarmosił mu czuprynę,
Pomyślał przez chwilę i przekazał kolejną nowinę:

– Skoro wiosna już przybyła, to jeżyka obudziła.

I twoją przyjaciółkę, rudą wiewiórkę.

Może pojadą z nami w gości we dwójkę?

– O, rany! Tato! Będzie bajerancko!

Już pędzę im powiedzieć! Niech spakują się elegancko.

Tylko jeszcze, z tej radości, podskoczyć sobie muszę,

Po raz pierwszy z przyjaciółmi w taką podróż ruszę!

Wezmę płaszczyk, czapkę, szalik, łyk kakao i rogalik.

Pomachał rodzicom i zakrył czapką czoło,

Maszerując do przyjaciół, śpiewał piosenkę wesołą.

Tralala, niech ta niedziela trwa.

Przyjaciołom niosę niespodziankę – raz i dwa.

Zajdę najpierw do Neli,

Żeby nie przespała niedzieli.

Ależ to będzie dzień wesoły,

Nie muszę już iść do szkoły.

Tralala – niech ta niedziela trwa.

– Cześć, Nelusiu!

– Cześć, Marcelku!

Zobacz, ile orzeszków mam w rondelku.

Zjem je wszystkie na śniadanie

I sprawię radość swojej mamie.

– Och, Nelusiu, jedz! Smacznego!

Ja zajdę do Mikołaja i sprawdzę, co u niego.

Marcelek zrobił kilka kroków i stanął w zadumie,

Bo zobaczył przyjaciela w sportowym kostiumie.

– Mikołaju! Hej! Jeżyku!

Co tam robisz przy strumyku?

– Spaceruję, spaceruję…

Nóżki sobie prostuję.

Z zimowej drzemki wiosna mnie zbudziła.

Przez sen mi trochę zesztywniały łapki,

Więc dobrze uczyniła.

Co się stało Marcelku, że odwiedziłeś nas z rana?
– Przybiegłem powiedzieć, że czeka na nas
Moja kuzynka kochana!
– Kuzynka? Jak ma na imię? – zapytał jeżyk zdziwiony.
– Wiktoria. Spakuj się i jedziemy. Będziesz zadowolony!

– Marcelku, co zabrać trzeba? – odezwała się Nela,
Zeskakując z drzewa.
– Weźcie plecaczki i spakujcie coś na noc.
Zostaniemy u Wiktorii na całą Wielkanoc!
– To ja już pakuję orzeszki na drogę,
Bez nich z domu ruszyć się nie mogę.
– Ja wezmę ze sobą dwie duże jagody
I kilka kropel wody.
Spragniony będę w czasie podróży,
A to mi nie służy.
Jeżyki przesypiają całą długą zimę,
Gdy się obudzą, to piją co chwilę.

Wyruszyli z rodzicami samochodem, nie zwlekając.
Wszyscy byli ciekawi, czy do Wiktorii trafi
Wielkanocny Zając.
Całą drogę się śmiali i rozmawiali miło,
Gdy mijali zagajnik, coś się w krzaczkach poruszyło.
Nela, czujnym wzrokiem, dostrzegła, co to było,
Zawołała do przyjaciół:

– Tam stado sarenek się skryło!
Patrzcie! Patrzcie! Siedzi kot na dachu!
Chyba chciałby zeskoczyć, ale trzęsie się ze strachu!
Marcelek i Mikołaj spojrzeli na ten obrazek:
– Łał! Ile się tu dzieje! – wykrzyknęli razem.

Nieco głodni, choć weseli, do celu dojechali,
Rodzice Wiktorii w progu ciepło ich witali.

– Kochani! Witamy! W nasze progi zapraszamy!
Czy jesteście zmęczeni?
– Trochę, ale chętnie coś zjemy!
– Cześć, Wiktoria – chłopiec przywitał się z kuzynką.
– Cześć! – odparła, bawiąc się różową piłką.

Chciała go uściskać i zrobiła mały kroczek,
Zobaczyła, że coś trzyma i szturchnęła go w boczek.

– Powiedz mi, Marcelku, co tam masz w rondelku?
– To orzeszki Neli. Na pewno się z tobą podzieli.
– Kim jest Nela? Nie pamiętam.
Przyjechała do nas na święta?
– Tak, to wiewiórka i moja przyjaciółka.
Poznaj też jeżyka, kolczastego psotnika.
Mikołaj ma na imię, choć śpi właśnie w zimie.

– Cześć! – zawołała. – Witajcie z wieczora!
Wejdźcie do środka, zbliża się kolacji pora.
Trzeba zebrać się czym prędzej,
Umyć buzię, łapki, ręce.
Do kolacji nie wypada
Z brudną łapką zasiadać.

Do łazienki pospieszyli
I dokładnie się umyli.
Rączki, łapki mydłem z różą,
Chociaż byli zmęczeni podróżą.

Ledwo kolację pochłonęli,
Wskoczyli do łóżek i zasnęli.
Rodzice powiedzieli im na noc:
– Śpijcie dobrze. Jutro Wielkanoc. Dobranoc.

Ciekawostki o kotach domowych

Koty są jednymi z najpopularniejszych zwierząt domowych. Uwielbiają je zarówno dorośli, jak i dzieci.

Czy wiesz, że koty mogą żyć u boku człowieka nawet przez 20 lat?

Mają 4 razy lepszy węch od naszego i bardzo dobry słuch. Pazurki kota rosną cały czas, dlatego musi je ścierać. Twoje paznokcie też rosną, ale mama obcina je nożyczkami, prawda?

Młode kotki mają aż 26 zębów, gdy dorosną, jest ich już 30! Kot dachowy waży do 5 kilogramów, choć są rasy, które mogą ważyć więcej.

Koty są śpiochami. Mogą przespać nawet do 20 godzin dziennie, a gdy nie śpią, to polują lub chcą się bawić i przytulać. Mruczą przy tym z zadowolenia. Są ogromnie towarzyskie.

Czy wiesz, że koty są bardzo pamiętliwe? Gdy ktoś zrobi im krzywdę, nigdy więcej mu nie zaufają. Ale gdy właściciel o nie dba, to traktują go jak swojego najlepszego przyjaciela.

Wiesz, że koty też obchodzą swoje święto? 17 lutego obchodzimy ŚWIATOWY DZIEŃ KOTA. Cudownie, prawda?

Ciekawostki o sarenkach

Sarenki to drobniutkie, łagodne i śliczne zwierzęta.

Możemy je spotkać wszędzie tam, gdzie jest dużo lasów i pól. Zdarza się jednak, że zaglądają do naszych ogrodów, ponieważ szukają czegoś smacznego do przekąszenia. Zimą dokarmiają je leśnicy. Doskonale wiedzą, jak o nie zadbać, dlatego lepiej zostawmy im to zadanie i nie sami dokarmiajmy saren czy to w ogrodzie, czy w lesie.

Sarny żyją w stadach, ale partnerem sarny wcale nie jest jeleń!

Samiec sarny to kozioł. A partnerka jelenia to łania.

Zwróć uwagę na to, jak się od siebie różnią na poniższym rysunku.

Pamiętaj!

Gdy jesteś na spacerze sam lub z pieskiem i widzisz sarnę – nie goń jej, nie krzycz i nie spuszczaj psa ze smyczy.

Sarna wtedy bardzo się boi. Kiedy ucieka, traci energię, która potrzebna jest jej podczas zimy.

Stań z boku i popatrz, jaka jest płochliwa i piękna.

Zanim zamkniesz książeczkę, sprawdź, co zapamiętałeś:

- Jaka pora roku przychodzi po zimie?

- Kogo odwiedził Marcelek z przyjaciółmi?

- Jakie zwierzątka widzieli po drodze?

- Ile lat żyją koty?

- Kiedy obchodzimy Światowy Dzień Kota?

- Jak się nazywa partner sarny?

- Gdzie żyją sarny?

- Kto może dokarmiać sarny?

Brawo! Znasz wszystkie odpowiedzi? To wspaniale!

Jeśli jednak czegoś nie pamiętasz – nie martw się. Możesz przeczytać tę książkę jeszcze raz razem ze swoimi najlepszymi przyjaciółmi.

Paczka Najlepszych Przyjaciół

2. Przywitanie Wiosny

Zaciekawili Cię nasi bohaterowie? Chcesz poznać kolejne przygody Marcelka i jego paczki?

Wypatruj innych części serii:

1. Przyjaciele Marcelka

3. Wielkanoc

4. Wakacje i Najlepszy Przyjaciel

5. Pierwszy Dzień w Zerówce

6. Wigilijni Goście w Boże Narodzenie

Copyright © 2023 by Gabriela Kisielewicz
Ilustracje: Iwona Walaszek-Sarna
Projekt okładki: Iwona Walaszek-Sarna
Redakcja i korekta: Magdalena Gonta-Biernat / To Się Wyda
Skład i łamanie: Tomasz Biernat / To Się Wyda

ISBN 978-83-966411-4-4

Made in the USA
Thornton, CO
02/11/24 23:38:11

bab53de6-1bd2-4b9c-b552-3db07fbd74ecR01